KB103637

산골짜기에서 온 편지

박 남 영   시집

산골짜기에서 온 편지

발 행 | 2024년 7월 15일
저 자 | 박남영 (단양사랑)
펴낸이 | 한건희
펴낸곳 | 주식회사 부크크
출판사등록 | 2014.07.15.(제2014-16호)
주 소 | 서울특별시 금천구 가산디지털1로 119 SK트윈타워 A동 305
호
전 화 | 1670-8316
이메일 | info@bookk.co.kr

ISBN | 979-11-410-9424-9

산골짜기에서 온 편지

박 남 영   시집

CONTENT

제 1 부   페러글라이딩

제 2 부   쏘가리 춤

제 3 부 　새밭계곡

제 4 부 나이를 먹는다는 것은

제 5 부   바람의 언덕

프롤로그

행복한 삶을 위해

시는 영혼의 언어입니다. 시를 쓴다는 것은 영혼의 소리에 귀를 기울이는 것입니다. 시를 통해 상처받은 영혼이 치유되고 회복될 수 있습니다. 대학 시절 시집을 읽고 시인들을 쫓아다니며 시를 배웠던 기억이 납니다. 그 시절이 그립습니다. 왜 오랫동안 시를 잊고 살았는지 돌아보게 됩니다. 이제라도 서툰 언어로 다시 글을 써보기로 했습니다.

한국에 귀국하여 단양에서 살게 된 지 어느덧 4년이 되었습니다. 그동안 단양의 사람들과 마을들을 다니며 느끼고 경험한 것을 시로 표현해 보았습니다. 시를 쓰는 것은 광부가 탄광에서 석탄을 캐듯 용기를 내어 위험을 무릅쓰고 곡괭이질을 하는 것과 같습니다. 단양의 아름다운 풍경과 소박하고 진솔한 삶의 이야기들을 시로 담아내고자 합니다.

지금이 가장 행복한 시간입니다. 인간은 언제나 행복을 추구하며 사는 존재입니다. 그 행복의 기준은 누구나 다르지만 본질적인 행복의 속성은 같습니다. 하루를 살면서 감사하고 행복한 삶을 산다면 그것이 멋진 삶이 아닐까 하는 생각을 합니다. 사람이 가지고 있는 모든 욕망의 그림자에서 벗어나 이제는 좀 더 자유롭게 하늘을 날며 현재 우리 가까이 있는 사람들을 마음껏 사랑하고 행복해하는 삶의 여정을 걸어갔으면 합니다.

　남은 삶의 지혜와 꿈을 찾습니다. 시를 쓰는 시간이 행복합니다. 지금이 행복하지 않으면 앞으로도 행복할 수 없습니다. 시는 인간의 깊은 상처와 아픔, 기쁨과 감동을 이야기로 풀어주는 치유의 능력이 있습니다. 목마른 영혼으로 다시 시의 행복한 여행을 떠납니다.

2024.7.15

서재에서
저자 박 남 영

제 1 부   페러글라이딩

어머니

카메라 앞에 선 아들의 눈물이
마치 비가 내리듯 흘러내리는
이 순간을 담는다

나이테의 기억처럼 쌓여
말로 표현할 수 없는
시간의 속도를 넘어선다

어머니 손길이 솜털 같았던 그날
마음속 깊이 새겨진 젊은 시절의 그림자

잊어버린 기억의 증거로
세상을 떠나는 그날까지
40년의 여정을 담아낸다.

대추나무집

고요한 언덕 위
대추나무집, 그 자리에 서서
낙엽들의 속삭임으로
두부는 익어간다

누운 여인의 모습 사이에 조용한
기억의 파편들
바람이 불면 신음하며
시간은 떨어지고

푸른 소나무 그늘아래
잃어버린
꿈을 찾는
대추나무집.

남한강

산과 강이 만나
한 폭의 산수화가 되는 곳
팔경은 마음속으로 흐르고

남한강 위로
은빛 물안개는
깊은 계곡의 바람 소리와 만나
손님처럼 찾아온다

도담삼봉이
역사를 이야기하고
석문과 석회동굴의 신비를 속삭인다

흔들리는 초록 잔디밭
시골길을 걸으면
공기와 물이 친구되어

자연이 주는 선물 같은 고향

그리움 속에서
찾은 안식처는
단양의 품에서 쉼을 얻는다.

단양의 가을

밤이 내려와 앉으면
하늘과 땅은 하나가 되고
소백산 능선에 잠든 평화가 찾아온다

달빛 아래 흐르는 강물
물소리에 귀를 기울이면
자연의 자장가가
잠시 걱정을 잊게 한다

사계절의 매력으로
단양은 관광객을 맞이하고

옛 선비들이 시를 읊던 곳
그들의 발자취가 남아 있는 땅에는
세월 속에 쌓인 사연이

살아 숨 쉬는 곳
단양, 한 폭의 그림
단양의 노래는
쉬지 않고 계속된다.

구경시장

오색빛깔로 물든 골목
이방인들의 발걸음이 이어지는 곳
구경시장

옛 정취 가득한 상점들 사이로
과거와 현재가 함께 춤추는
특별한 무대가 펼쳐지고

시끌벅적한 열정에
희망과 열정이 살아난다

고소한 기름 냄새 풍기는 튀김집
달콤한 향기 감도는 과일 가게
푸짐하게 쌓인 야채와 과일들
삶의 화려한 색깔
한 조각을 나누는 곳

손때 묻은 도구들
오랜 사연을 들려주고
떡갈비, 닭 강정, 마늘빵, 마늘순대
아이스크림에는
장인의 혼이 담겨 있다

서로 다른
인생의 다양한 맛을 느낄 수 있는 곳

구경시장은
사람과 사람을 이어주는 다리
현재를 있게 하는 시간 여행이다.

도담삼봉

강물 위에 피어난 섬, 도담삼봉
하늘이 선물한 세 개의 봉우리

첫 번째 봉우리, 남편 봉
중심을 잡은 그의 기상은
천년의 세월에도 굳건히
사랑을 지키는 수호자의 얼굴

두 번째 봉우리, 아내봉
유순한 물결에 비친 그녀의 미소는
맑고 고운 강물 따라 흐르며
세상의 모든 슬픔을 위로한다

마지막 봉우리
딸 봉
부끄러움을 간직한 채

바람에 실려 꿈을 노래한다
푸르른 나무와 어우러진
세 봉우리
금빛 옷을 입고
저녁노을이 강을 물들이면
사랑을 속삭인다

도담삼봉
그곳에 서면
우리의 삶도
흘러가길 기도하게 되는
단양의 보석.

석문

석문아
너의 외침이 들려온다
산속에 퍼지는 단아한 울림
강물이 너를 품고 흐르는 소리

너는 시간의 흐름을 알고 있을까
얼마나 많은 발걸음이 너를 밟았는지
그 속에서 네가 지켜온 기억의 향기

석문아
네가 지키는 이곳에
역사의 무게가 감돌지 않는가
우리의 선조들이 너를 바라보며
끊임없는 갈망을 안겼던 곳
네 머리에 뿌리박은 소나무는
네 소리에 귓가를 기울이고

바람이 네 얼굴을 스치면
너는 마치 자유인이 된다

석문아
그 너의 무게와 단단함에도
바위틈으로 스며든 풀잎의 향기
물결이 빛에 반사되어

여기에 선 이들은
네가 지키는 이곳에
마음을 빼앗겨 간다
너의 노래를 따라
흐르는 물을 따라간다

침묵으로 서 있는
무지개로 이야기하는 석문.

고수동굴

어둠 속에
숨겨진 비밀
우리를 맞이하는 것은 무엇인가

동굴 입구
우뚝 솟은 바위들
수많은 작은 구멍들이
어둠을 비춘다

시간은 멈추고
신비로운 속삭임이
고수동굴의 깊은 틈에 울려 퍼진다
먼 옛날, 이곳에 살던 사람들은
이 동굴을 신성한 곳으로 여기며
자신들의 신을 모셨다

언제나 유혹하며
숨겨진 이야기를
풀어나가고자 한다.

페러글라이딩

자유의 날개
풍경위로
구름과 하늘 끝이
패러글라이더의 노랫소리와
합창을 한다

가벼운 바람을 안고, 구름을 따라
새처럼 날아간다
땅 위의 모든 것들은 작아지고
한 번도 본 적 없는 경치와 향기
자연의 노래가 들린다

하늘 위로 올라타면
마음을 가득 채울
빛나는 추억

구름 위로 떠오르는 듯한
설렘에
바람을 안고 하늘을 품는다

고요한 풍경이
너무나 작아 보여
세상을 품고 있는 듯하다
날개를 펼치고
하늘 위를 휘젓는다

풍경이 달라 보이는 그 높이에서
마음속으로 채워지는 그 순간
날개가 되어
하늘과 대지가 만나는 곳
모든 것이 잊히고 새롭게 시작된다.

사인암

석조의 숲 속에 잠든
사인암은 시간의 흔적을 담아낸다
바위에 새겨진 옛 흔적은
비밀을 품고 있다

새겨진 글자들은
고대의 시대를 불러내듯
시간의 흐름을 멈춘 찬란함으로
마음을 움직인다
책갈피처럼
과거를 기억하게 한다

삶의 흔적은
깨달음을 선물하고
바위 위에 새겨진 마음은
시간을 초월한

존재로 안내한다
구름이 흐르고, 바람이 불어도
변치 않는 무게감
끝없이 펼쳐진 산과 함께
계속된다

물이 흐르는 계곡과
나무들의 그림자 아래
시간을 초월한
지혜를 깨닫게한다

그 위엔 천공이
시간을 날아가게 하고
절벽 위에 선
세월의 흐름을 간직한다
바위 하나에
옛 이야기가 새겨져 있고
역사의 흔적이 담겨 있다
바람은 속삭임처럼
눈부신 햇살이 사인암을 비추고
그림자는 향기를 풍긴다.

소선암

소선암은
자연의 조각

깊은 협곡 아래
바위가 잠들고

바람은 속삭이며
시간의 흐름이
새로운 꿈의 날개를 난다

영혼을 빛내주고
새로운 희망을 선물한다.

중선암

중선암
옥중 보석
바위와 나무가 숨 쉬는 곳

바람이 노래하고
하늘이 땅을 안아주는 그 순간

풍경은 그림 속에서 말한다
시간은 멈추어 있는 듯하다
숨은 보물

그곳에서
자연과 하나 되며
마음을 가꾸는 공간이다.

하선암

한 바위, 두 바위, 세 바위가 모여
하늘을 향해 손을 뻗는다
하선암

돌담 같은 높은 바위 위에 세워진
우뚝 솟아 있는 나무들

바람과 함께 춤을 추며
눈부신 햇살을 받아
푸른 잎사귀가 빛난다

절벽을 따라 흐르는 작은 시냇물
바위 사이로 숨 쉬며
청량한 소리
눈앞에 펼쳐지는
자연의 솜씨.

올산에 가면

올산에 가면
시간은 어느새 멈춘 듯하다
오늘도 그림처럼 경계선에 선다

바람은 가만히 서서
나뭇잎을 스치며
속사정을 들려준다

떨어져 있는 작은 집들은
도자기처럼 깨지기 쉽다
바람이 불어도
흔들리지 않는다.

산골짜기에서 온 편지

쉬운 발걸음으로
가을이 찾아온다
강가에 반짝이는 해는
짙은 그림자를 던진다

아주 조금만 느리게 가다 보면
세상 모두가 친구가 되는 학운산방
조용한 마을 구석에도
숨겨진 추억이 있다

살결에 가을바람이 마중 나와
쓸쓸한 노래를 부르고 있다
걷다 보면
바람에 낙엽 소리가 들려온다
산골짜기 마을
하늘에 물든 구름을 그리며

여기에 사는 사람들
서로를 가족이라 부르며
정을 나눈다

시간은 산 능선처럼 흘러
마음이 평화롭게
자리 잡을 수 있다

높은 산봉우리에
한 점의 별이 깜박이며
편지를 전해준다

언제나 기다리며
따뜻하게 안아주는 천국이다.

*학운산방:솔고개 600미터 전망좋은 집

금수산

금수산을 감싸며
높은 정상에 서면
바람이 안내한다
하늘과 대지가 만나는 곳
삶이 흐른다

금수산의 약초향 가득하게
새들의 노랫소리
자연의 고요함이 마음을 달래준다
일출은
금수산을 빛나게 한다
높은 하늘에 물든 붉은빛이
산과 계곡에 생명을 잉태한다

세계의 끝에 온 듯한
신비로움이 밀려온다

정상에서 바라본 세상
마음 가득한 상자

언제나 변함없는 산
허리 잘라 걷는
금수산은 생명의 안식처
영감의 근원

오늘도
금수산 멋진 소나무 앞
대추나무집을 지나
구르미 카페
친절한 부부의 사연에
시간을 토막내며
행복의 나무를 심는다.

제 2 부   쏘가리 춤

제비봉

하늘과 만나는 곳
그 높이에서 꿈을 깬다
하늘을 향해 떠오르는 산 정상
마치 염원을 이루는 곳

제비봉의 이름은 풀숲이 우거진
높이에서 제비들이 날아다니는 모습
마음도 바람을 감싸는 순간

일상의 소란은 멀어지고
마음의 안식처로 변해가는데
제비봉은 그런 곳

가파른 계단 길을 걷다 보면
보이지 않는 근육
구름 사이로 비추어지는 태양

어둠이 완전히 없다
청풍호의 모습 한눈에 들어오는데
산과 강물이 어우러진 풍경은
눈을 멈추게 한다

제비봉 일몰은
마음을 잠시라도 일으켜 세운다
하늘과 대지가 만나는 그 순간
높이에서 바라보는 세상.

옥순봉

평화의 섬
옥순봉에 올라서면
시간은 멈추고
바람이 말없이 구부러져
구름은 하늘을 덮고
태양은 웃고 있다

하늘과 땅이 만나는 곳
바위와 나무, 강물의 속삭임
아름다움의 축제
구름 사이로 비추어지는
잊었던 기억이 살아난다.

구담봉

높이 솟아올라 있는 바위는
거북이의 목숨처럼 역사를 간직하고

세월의 속삭임이
상처를 품고 있는데
바람이 꺾이는 소리가 들리면
어느새 나의 마음도 주름진다

바위 위에 앉아 있으면
내가 하늘에 있다

세월이 만든
바위와 나무, 강물의 속삭임
끌어안는 자연의 품이다.

장회나루

유람선
강물 따라 향하는
그 길은 시간을 담은 그릇

강물 위에는
얼마나 많은 아픔을 들고 있을까
순간마다 부는 바람에
위로하는 몸짓

바람이 부는 소리와 강물의 눈물이
가슴 속까지 들려온다
두향이의 사랑 이야기에
세상의 모든 근심이 사라지고
사랑하고 싶은 마음
변함없는 강물처럼
삶도 그 흐름을 따라

가슴속에 품고 있는 마음은
영원히 변하지 않을 것이다.

소백산 철쭉제

산 너머 햇살 따라
철쭉이 피어나고
산길을 따라
노란 꽃들이 일어난다
그 향기가 산 곳곳을 향해 퍼져
하늘까지 울려 퍼진다

철쭉이 핀 곳으로
발걸음을 옮기면
숲 속의 시원한 바람이 부는 소리가
나를 부른다

소백산 외로운 이곳에
많은 이들이 찾아온다
철쭉의 화려한 모습은
지금을 행복하게 만든다

산길을 따라 걷다 보면
골짜기에 폭포가 흐르고
나의 외로운 축제는 시작된다.

온달과 평강공주

우뚝 솟은 온달의 영면
봄이면 저만큼
들풀들이 쓰러지듯
자태는 자연의 시인 같다
햇살의 얼굴은
바람을 타고 강물의 소리를 담아내듯
숲 속의 은밀한 어둠에도
불꽃처럼 빛난다

강가에 서서
잔잔한 흐름을 따라가는
평강공주의 모습
한 낮의 햇살에 그림자가 놓여
얼마나 우아한가
소백산의 목멘 풍경은
그녀의 미모에

마음을 더욱 따스하게 만든다

소백산의 황홀한 향연
온달과 평강공주의 만남은
자연 속에 빛나며
순수한 향기로 서 있다

봄바람이 불어오면
그림자가 나의 마음을 잡는다

긴 강가에는
평강공주의 달콤한 목소리가
온달의 용맹에 불을 밝힌다.

양방산

옷 벗은 봉우리 위에
하얀 전망대
나무들이 춤추듯
바람에 나뭇가지가
더욱 설레게 한다

산과 마을
하늘을 뒤덮고 있는 구름까지
모든 것이 한눈에

산맥이
시인의 시편처럼
읽히는 오후
바람이 춤을 추며 불어온다
어느 날
밝은 아침에는

태양이 떠오르며
흐르는 강물에 몸을 맡긴다.

양백폭포

목소리가 흐르는 곳
공간은 홀로 남아
몸짓으로
소리 없이 말한다

산비탈
폭포는 갈매기처럼
날개를 펴고 놀고 있다

얼음 조각들이
눈물을 보이지 않는다

영혼은 그 아래로
내려가 웃는다.

장미터널

장미향 가득한 터널 속
꽃잎의 향기가
가득한 심장에 스며든다

가로등이 꽃들의 그늘에
멈추지 않는 꿈을 만든다

눈부신 햇살이
그림자로 얼굴을 비춘다
장미향과 머무는 시간은
세월의 흐름을 담는다

터널 속을 걷는다
피어난 꽃들은
가득한 꿈과 사랑의 색으로
미래로 달려간다.

고수대교

나무들 흔들리고
햇살이 가득한 길
꽃들이 노래하는 아침

강물은 조용한데
새들은 지저귀고

언덕과 하늘이
내려앉은 땅에는

강의 허리가
소통의 힘이 되는 곳이다.

대성산

소나무 우거진 대성산
가벼운 바람이 쉬고 있다

등산로를 걷으면
차가운 바람이 내 마음을 위로하며
따스한 공기가 가슴을 채운다

솔밭을 지나면 강물 소리가 들려오고
마음을 치유하는 곳이다
자연과의 시간은
영혼을 풍요롭게 만들어준다

나무들이 그린 커튼 사이로
들어오는 함성은
마치 천사의 손길 같다

풀숲 사이로 흐르는 강물은
시간의 흐름을 잊게 만든다
자연과 함께 하는 여행길
마음의 휴식처로서
이곳에서 만난다.

산골예찬

한가위 깊은 밤
울부짖던 그 어둠 속에서
달빛이 가득하다

산골짜기에 피어난
가난한 집안에서 태어난 천재
가난이 그의 세계를 품었다

사색과 공부의 밤을 새웠으나
현실은 끊임없이
풀어낼 줄 몰랐다
사랑은 그를 이끌었다

사랑에 빠졌다
소녀가 바늘을 놓치면
죽일 거 같았던

그의 마음을 향한 애정은
신비한 만남
가을하늘 산골에
희망의 빛을 불어넣었다

인간은 가끔 잔인하기도 하다
바람의 장난에 마음도 흔들린다
이별의 아픔을 견뎌내야 했다

사랑은 다시 강을 일으켜 세웠다
삶은 마치 봄비처럼 따뜻하게
마음에 살아 숨 쉬는 존재이다.

산골버스

버스를 타고
과거와 미래를 담은 시간

인생을 닮은 버스 안에서
빈자리 가득한 추억을 되돌아보고

미래의 꿈을 꾼다
창밖으로 떠나가는 풍경을 바라본다

오르막길
내리막길처럼 버스와
함께라면
이겨낼 수 있을 것이다.

할머니의 하루

하루를 가슴 깊이 삼켜
시간처럼 의자에 앉는다
노을이 창가를 밝히며
가느다란 시계 바늘이 쏟아내는 동안
한 가지 생각에 잠긴다

감정과 갈등
미소와 눈물이 얽힌 주름진 사연들
청춘의 밝은 햇살로 가득 찬 그날과
눈부신 석양에

할머니의 하루는
시작과 끝이 없는 한편의 로맨스
어두운 밤, 그녀의 고독한 편지와
가장 사랑스러운 눈빛
그 어느 것도 잊혀지지 않는다

삶은 색깔, 음악, 단어로
흐르는 강물과 같다
낡은 사진 한 장이
노란색 가을 잎처럼
풍요로운 기억들을 떠올리게 한다.

선암계곡

울며 날아가는 곳
선암계곡의 아름다운 공간
바람이 불어와
나뭇잎들이 흔들린다

햇빛이 반짝이는 물속으로
나뭇가지가 그림을 그리고
돌들은 맑은 물에 소리 없이 녹아든다

흐르는 강물은
언제나 마음을 달래주며
청명한 물은 영혼을 씻어낸다
마음을
떠나보낸 고향의 향수를 불러본다.

한옥마을

시간의 틈에 갇힌
나무들이
삶에 지친 사람들에게
쉼을 준다

문간 넘어오는
풍경은 우아하다
마음의 짐을 가볍게 해 주고
한옥에 감동한다

색 바랜 기와에는 어떤 추억이
문 뒤에는 비밀이 숨겨져 있는지
동화 속 세계로 초대한다.

어상천

수박 향기 속으로 빠져드는 시간
어상천 수박축제

여름이 한창인 어느 날
붉고 달콤한 산들바람에
수박의 향기가 퍼져간다

가는 사람마다
미소를 짓게 만드는 축제
친구와 가족과 함께 하는 시간

마음을 고랑을 풀어주는 장소
여름의 더위를 식혀주는 시간
달콤한 수박을 맛보며.

제 3 부　새밭계곡

대장간

마을 입구에 대장간이 있어
언제나 마실처럼 들릴 수 있다
철 가루 냄새와 함께 공중을 휘감는다

소리가 울려 퍼져
타고난 솜씨로
철을 다듬는 소리가 들려와
칼날 같은 손길
일그러진 금속은 더욱 굳어져가고

그 손에 의해 탄생하는 작품들은
시대를 담아내며
대장간을 찾는 마음을
두들긴다.

가을 단풍

단풍은 자신의 길을 걸어간다
황금빛 감동이
산과 계곡을 덮어 무르익게 만든다

어느 하루 늦가을을 맞이하면
산비탈은 홍수가 된다
단풍잎들이 노래를 부른다

흩어진 단풍들은
가을의 선율을 전한다

단풍잎 한 잎이
산과 계곡에 흩어지면
새벽의 햇살이 산마루에 떨어지듯
그 풍경은
한 줄기 빛에 가을을 담는다.

대추나무

대추나무 아래에
저녁 태양이 서서히 진다
그늘은 길어지고
산골 마을은 잠든다

한 옛날의 이야기가 흘러나온다
어릴 적 친구들과 함께
단풍 구경을 하며 놀던 추억들

대추나무는 가을밤에도
차가운 바람을 막아주고
잠들지 않는 마을의 수호자다
가을이 깊어갈수록
더 많은 잎이 떨어진다
어느 날, 대추나무 아래에서
가을밤의 차가운 공기를 맞이한다

대추나무는

그 뿌리 깊은 곳에서
힘찬 삶의 흔적은
마을을 지키며
빨간 시간을 담는다.

낚시꾼

물속에는 잡힐 듯한
시계추가 몸살을 앓는다

낚싯대를 든 사람들은
잠시동안 몽환에 잠긴 채
풍경을 바라보며
낚싯줄을 던진다

시간을 잊게 만드는 마법 같은 곳
낚시꾼들은
물고기의 숨소리를 읽으며
마음속 깊은 곳에서
세월의 무게를 느낀다

낚시꾼들은
고독으로 이야기를 나누며

하루의 피로를 내려놓고

물소리에 귀를 기울이며
그물을 가만히 비우고
자신의 길을 간다.

쏘가리 춤

쏘가리가
작은 몸집에도 화려하다
비늘들은 햇빛을 받아
빛나고 있다

물방울 따라 서서 춤을 춘다
얕은 물가에 걸터앉은 아이들
그림자가 물 위에 춤을 추며
손에 쥔 그네를 흔들고 있다

달빛이 강물 위에 비치는 이 순간
강가에 앉아 마음을 빼앗기며
춤에 몸을 맡기고 싶다고
쏘가리의 춤이 계속해서 흘러간다.

도서관에 가면

책장 사이로 페이지를 넘기면
책의 향기가 흘러나와

여기는 시간의 흐름이 다르다
시계 소리 없는 조용한 세계
바쁜 현실에서 벗어나
자신을 찾아간다

작가들의 말을 읽으면서
마음도 그림자처럼 떠 올린다
그들의 이야기가 내 이야기와 만나
새로운 세계가 펼쳐진다

독서실 안, 조용히 책을 펼친 사람들
각자의 이야기를 풀어내고 있다
역사와 정보, 지식을 만나며

나도 나만의 세계를 찾아간다

도서관 안은 또 다른 작은 세계
그 안에서 내 삶의 터전을 찾아
활자로 다시 태어난다
책의 세계에 빠져들어
인생의 진실한 모습을 만난다

도서관에 가면
나는 책과 함께 산다
그 안에서
삶을 다시 살아낸다.

하루

하루를 산다는 것은
알람 소리에 눈을 뜨는 순간부터
화면을 향해 눈을 돌리면
세상이 던지는 도전이
하나씩 일어난다

하루를 산다는 것은
카페인의 도움을 받아
멀리 떨어진 곳에 있는 친구와
한 컷을 나누는 것부터 시작된다
이미지, 비디오, 스토리
틱톡, 인스타, 블로그
시선과 공유하는 것이
삶의 일부가 된다

하루를 산다는 것은

타임라인을 스크롤하며
이야기를 만난다
좋아요와 공감, 댓글을 주고받으며
일상을 공유하고 소통하는 시간이다

하루를 산다는 것은
스마트폰을 들고
도시의 길을 걷는 것부터 시작된다
네비게이션의 안내에 따라
목적지를 향해 걸어가고
새로운 발견을 하는 것이다

하루를 산다는 것은
스트리밍 서비스를 통해
새로운 영화나
드라마를 감상하는 것이다
화면 속 세계에 잠시 빠져들어
일상의 현실을 잊는 시간이 된다

하루를 산다는 것은
헬스 앱을 통해

운동 계획을 세우고
목표 달성을 위해 노력하는 것이다
몸과 마음을
끊임없이 성장하는
삶을 산다는 것이다

하루를 산다는 것은
모든 것이 네 손안에
놓여있는 것이다
세상의 모든 정보와 가능성을
한 손으로 펼쳐보며
삶을 향해 나아가는 것이다.

페러마을

페러 마을에 가면
풍경을 타고 날아간다
현대적인 카페의 건물
자연과 어우러진 풍경은
시간을 잊게 만든다

바람이 부는 곳에
서성이며 한숨이 나도록
고요한 풍경이 마음을
가볍게 한다

건물 사이로 비치는 햇살은
가로등처럼 길을 밝혀주며
하늘을 나는 사람들은
현대판 시인들처럼
각자의 나비가 된다

페러마을에 가면
일상이 순간으로 변화한다
함께 걷는 이들과의
대화는 마치 한 페이지처럼
감성을 자극한다

하늘이 담은 풍경 속에서도
삶의 진정한
미를 발견하고
미지의 세계로 날아간다.

말목산

말목산은 옛 단양을 품었다
높은 봉우리는 하늘이 닿는 곳
인생의 길을 밟는 곳

내려다보면
인생의 지혜를 깨닫게 된다
새로운 도전을 향해

삶을 응원한다
그 높은 봉우리는 꿈을
이루기 위한 발걸음이 되어준다

산에 오르면 삶의 의미를
희망의 불빛을 품게 된다
높은 산은 우리의 미래를
밝게 비춰주는 존재이다.

캠핑장

바비큐 그릴 위에 고기를 올리고
음악을 틀어 소리 속에 빠져들었다

화려한 LED 조명이 밤하늘을 밝히고
별을 보며 이야기를 나눈다
SNS에 사진을 올리며
세상과 공유하며
소중한 순간을 간직한다

모두가 잠들고 나면
텐트 안에서 친구가 되고
스마트폰 화면을 책갈피를 넘기며
이야기와 웃음소리가 가득하다
새벽이 밝아오면
타다 남은 모닥불처럼
캠핑 생활은 끝나지만

사랑은 영원할 것이다

함께한 모든 순간이
나에게는 소중한 선물이다
별들처럼 순간의 소중함이
영원하길 바라는 밤이다.

아내의 미소

달콤한 아침
햇살이 창문을 비추고
향기를 맡으며 눈을 뜨곤 할 때
곁에 있어 더욱 기쁘고 감사하다

사랑이 피어나고
환한 미소가 나를 감싸며
행복으로 흐르고 있다
시간들은 사랑으로 다시 피어난다

각 잡힌 손으로 네 손을 잡고 걷고
발걸음이 서로를 의지하며
언제나 함께할 것이다
말없는 표정은 꿈이고
함께 하는 전부이다

밤하늘에 별빛이 흩어져 내리면
나는 네 곁에서 편안히 잠들 수 있다
미소가 아름다운
모든 순간이
영원히 소중한 것이기에.

아침

험난할지 몰라도
나에게 주어진 모든 순간은 가치 있다

서로를 사랑하며 함께 걷는 이 길에
서로를 믿고 지지해 주는 친구처럼
꽃이 피어나듯 빛나고
삶의 선물을 받아들이며
행복을 찾아 나선다

꿈과 열정은 인간의 본질
첫 발걸음에 심장이 뛴다
저 멀리 보이는 산과 계곡
다시 내 삶을 일으키는 아침.

북벽

북쪽으로 향한 발걸음
영춘 북벽 강변을 향해 걷는다
거대한 바위들이
하늘을 향해 서 있다
마음을 높이고 생각을 깊게 한다

바위들은 세월의 흔적으로
시야에 펼쳐진다
한 폭의 그림
새로운 세상을 열어 준다

북벽에 서면 도전하고 싶은 마음이 든다
세상의 모든 걱정은 사라지고
자신이 되는 순간이다.

새밭계곡

나무들은 공기를 실어 나른다
노래가 산행자의 마음을 녹이고
물소리가 온 숲을 채운다

계곡을 따라
자연의 품에 안기면
일상의 소란은 멀리 사라지고
나무와 바위, 물소리
합창이 된다

물에 발을 담그며
숨결 속에 맑은 공기를 마신다
여기 마음의 평화를 찾는 곳
시간마저 잠든 곳
변함없는 악보처럼
불러들이는 힘이 있다

자연과 하나 되는 그 순간
삶의 진정한 행복이 날아온다.

축제

옛날이야기 흐르는 곳
은유의 세계로 나는 빠져든다

돌멩이 하나가
고향이 된다

시간의 흐름을 잊게 만드는
세상으로 빠져든다

과거, 현재, 미래가 있는 곳
현실이 지혜롭다

꿈과 희망이 마음을 가득 채운다
축제에 초대받았을 때
나는 고요한 내면으로 조용히 숨는다

새로운 시선으로 세상을 바라보며
서투른 축제의 노래를 듣는다.

외로움

작은 방, 낡은 의자에 기대는
노인의 눈빛
세월의 흔적처럼 희미해져 간다

어린 시절, 맑은 시냇물 속
청춘의 첫사랑, 잠 못 들던 밤들
추억들은
먼지 쌓인 앨범 속
사진처럼 흐릿해진다

삶은 그렇게 흘러갔다
자식들은, 친구들은 하나 둘 떠나가고
남겨진 건
텅 빈 웃음소리뿐
하루의 끝자락
침묵 속에서 낡은 지갑을 꺼낸다

고요한 방 목소리는
더 이상 누구에게도 들리지 않지만

달빛이 비치는 침대 위로
세월이 잠든다
아무도 모를 그 순간

바람에 낙엽처럼
사라졌지만
땅 위에 남아
누군가의 기억 속에
조용히 살아간다

삶의 끝에서, 홀로 남겨진 자리
자신과 만나는 시간이다.

고추밭

태양은 쏟아지고
붉게 익어가는 고추들은
삶의 무게를 견디며 조용히 자라난다
이마에 맺힌 땀방울은
시간의 흐름을 그려낸다

어린 시절, 아버지의 굵은 손은
고추모를 심고, 가꾸며
수확하던 기억들
흙냄새 짙은 고추밭
웃음과 눈물, 희망과 좌절의 시간

봄, 차가운 대지에
어머니의 손길로 씨앗을 뿌리던 날들
고추를 바라보며
작은 희망을 키워가던 순간들

여름 속에서도
고추밭은 생명력을
고랑 사이로 걸음을 옮길 때마다
삶의 무게가 발끝에 닿는다
저녁노을에 물든 고추밭은
하루의 피로를 씻어주는 쉼터가 된다

가을, 붉게 물든 고추들
수확의 기쁨과 고단함을 안고
정성스럽게 따내는 손길
노을빛에 빛나는 고추밭은
무대가 된다

겨울, 텅 빈 고추밭은
또 다른 시작을 준비하며
눈 내린 밭을 바라보며
새로운 계절을 꿈꾸고
고추밭에서 기억을 남긴다.

비 오는 날

비 오는 날
창밖으로 내리는 풍경

물줄기가 흐르는 담장
비에 젖은 돌담은
세월의 흔적을 간직하고 울고 있다

구름이 낮은 오늘
비는 논바닥을 적시고
쌀의 향기를 가득히 품게 한다

비 오는 날
삶도 비처럼 내리고 있다.

제 4 부 나이를 먹는다는 것은

마늘을 캐며

마늘밭
물들어가는 저녁
손끝에 닿는 마늘 뿌리는
땅의 깊이를 말한다

바람과 햇살, 비와 이슬을 머금고
단단하게 자라난 마늘
흙 속에서 묵묵히 자라난 뿌리
마늘에 담긴 시간의 무게를
누가 알 수 있을까

봄날, 농부의 손길로 심어진 마늘
작은 씨앗이 땅 속에
생명을 키워가는 그 순간
농부의 마음속에는
수확의 기쁨이 함께 자란다

비가 오고 바람이 불어도
마늘은 단단하게 뿌리를 내리고
어린아이 피부처럼
자라난다.

귀촌

새벽
달빛이 아직 머무는 시간
하루가 시작된다
도시의 소음은 멀어진지 이미 오래다
새소리와 바람의 속삭임이
나의 귀를 적신다

밭으로 향하는 길목
풀 냄새 코끝을 스친다
손에 쥔 호미의 무게가
낯설지 않다
땀 방울이 이마를 적시고

고랑 사이로 자라는 작물들
소박한 마음으로
땅을 고르고, 씨를 뿌리며

새싹이 땅을 뚫고 나오는 순간
가슴은 감동이다

집으로 돌아오는 길
논두렁에 앉아 잠시 쉬어간다
논밭을 바라보며

삶은
가난하지만 풍요롭다
물질의 풍요보다
마음의 풍요를 더 귀하게 여기는
삶의 방식이기에

저녁노을이 지는 하늘 아래
작은 불을 피우고
간단한 저녁을 준비한다
산골의 삶

식탁에는 정갈한 밥상과
자연이 준 선물들이 놓인다.

산골버스

버스가
산골로 향하는 길
버스는 시간을 끌고
구불구불한 산길을 오른다

어제와 다른 오늘을 담고 있다
나무들은 계절의 옷을 갈아입고
초록에서 붉은빛으로
다시 하얀 눈으로 덮인다

버스 안, 익숙한 얼굴들
인사를 나누고
짧은 대화 속에
소소한 일상
할머니는
바구니에 담긴

신선한 채소를 자랑하고
어린아이들은 창밖을 바라보며
미래의 꿈을 그린다

버스는 점점 깊은 산골로 들어간다
아스팔트 길은 사라지고
흙길이 시작된다
차창 밖으로 보이는
깊은 숲의 신비가
끌어당긴다

바람은 부드럽게 불어온다
새들의 지저귐이
귀를 간지럽히고
풀 냄새가 코끝을 자극한다.

청풍호의 아침

아침은 조용히 깨어납니다
물안개 속에서 서서히 일어나는 물결
호수의 거울에 비친 산과 하늘
모든 것이 하나로

해가 서서히 떠오르며
잔잔한 물살은 바람에 흔들리며
작은 물새들이 그 위를 날아다니고
고요한 물속에서는
물고기들이 꿈꾸는 듯 유영한다

청풍호의 바람은
불어와
전해지는 소리
자연의 노래를 듣습니다
초록빛 산들이 호수를 감싸 안고

호숫가의 쓸쓸한 외딴집

황혼을 품고 잠든다
바람은 다시 날아와
풀 냄새 나무의 향기가
자연과 하나가 되어
삶의 소중함을 깨닫는다

삶의 무게를 내려놓고
자연의 품에 안겨
소중한 기억을 간직한다.

강아지를 키우며

발자국 소리
꼬리 흔드는 소리
아침은 너로 시작된다
삶의 조용한 반주
아침의 노래

눈을 뜨면
반짝이는 눈빛으로
기쁨과 기대가 가득한 너의 얼굴
하루의 첫 미소
네 작은 몸을 품에 안고
느끼는 온기

산책길에 오르면
네 발걸음은 경쾌하다
풀 냄새를 맡고

나뭇가지에 코를 대고
작은 세상을 탐험하는 너
천천히 걷는다
호기심 가득한 눈길이
세상을 새롭게 보게 한다

네가 내 무릎에 누워 있을 때
작은 숨소리
따뜻한 체온
부드러운 털을 쓰다듬으며
느끼는 온유와 겸손
꼬리로 말하는 네가 부럽다.

여행

여행은 마음의 모험
먼 곳을 바라보며
꿈을 따라가는 길

산과 바다를 넘나들며
자유를 느끼고
하늘을 향해 손을 뻗는다

시간의 터널
과거와 미래가 만나는 곳
발자국의 흔적은
이야기의 일부이다

새로운 도시의 거리
익숙하지 않은 향기와 소리
그 안에서

자신을 찾아간다

여행은 영혼의 탐험
내면을 발견하고
꿈을 이루는 곳

삶이 여행이란 것을
모험은 끝나지 않고
아직도 진행형.

만천하 스카이워크

걸음마다의 이야기를 품고
하늘아래 흐르는 강물
발 밑에서는 남한강이 흐르고

스카이 워크를 걷는 그 감동
마음속 깊이 남는다

햇살이 따라오는 언덕에서
바람이 불어와
품은 스카이워크
여기서 함께 손을 잡고

서로의 눈길이 만나는 그 순간
사람과 강물이 같이 걸어가고 있다.

창문을 열면

비가 쏟아지는 소리
하늘이 회색빛으로 흐려져 있고
거리엔 가을의 냄새

푸른 잎새가 젖어 있고
물방울이 튀어나오며
내 발바닥에 스며든다

구름이 뭉쳐져
시간이 멈춘 듯한 순간
비 내리는 세상이 보인다

창문을 열면 바람이 들어오고
빗물이 창가를 타고 흘러내린다
그리움이 가슴을 채운다
빗방울은 춤을 추며

내 마음을 위로한다

이 시간은 마치 휴식의 시간
모든 것이 잠든것 같다.

사랑하며 산다는 것

사랑하는 사람과 함께하는 삶
그것은 마치 끊임없는 사색이다

함께 세상을
서로의 손을 굳게 잡고
함께 꿈꾼다

서로의 미소가 세상을 밝게 하고
더욱 깊이 우리를 이어준다
사랑은 위로가 되고
존재의 의미를 부여한다

서로를 이해하고 받아들이며
사랑은 시간이 흐를수록
깊어지고 더욱 강해진다

사랑하는 사람을 향한 마음
가로등처럼 세상을 비춘다
마지막 순간까지
기억 속에 간직한다

더 높고 멀리 날아갈 수 있다
사랑의 힘은 마음을 움직이고

사랑은 결코 완벽하지 않지만
삶에 완성으로
가장 아름다운 선물이 된다.

손님

손님이 찾아온다는 소식을 듣고
가슴이 기다림에 가득하다
마주하는 기쁨

눈을 마주치며 손을 잡고
존재를 확인하며 웃음 짓는다
감다만 실타래 쉴 새 없고
시간이 어떻게 흘렀는지 모르겠다

과거의 추억이 밀려오고
함께한 순간들이 생각난다
서로의 변함없는 모습에
감사함과 고마움이 넘쳤다

오랜 시간을 함께한 친구라면
이렇게 만나서 더 좋은 거야

서로의 일상을 나누며
눈빛으로 통하는 우리의 언어

손님이란 특별한 존재로서
우리 삶에 빛을 더해준다
오랜만에 만나서도
서로가 변하지 않은게 행복하다

함께한 시간이 짧아도
순간이 의미 있는거야
마음에 남은 추억은
계속해서 우리를 웃게 만든다

이 순간을 잊지 않을 거야
손님이란 이름의 기쁨.

스파게티

물이 끓는 소리와 함께 소금을 뿌린다
스파게티 끝단을 끼워 넣고
젓가락으로 꼼꼼하게 풀어낸다
길고 탱글탱글한 면발

팬에 올리브 오일이
금빛을 내며 흩어진다
마늘이 달콤하게 볶아지며 향긋한 소리
고구마가 황금빛으로 반짝이며 녹는다

양송이버섯이 싱그럽게 썰려
부끄러운 토마토소스가 섞이며
풍부한 향기가 부드럽게 퍼져간다
토마토는 붉은 향기를 풍기며
모차렐라 치즈와 함께 녹아간다
파슬리 잎이 그린 빛으로

접시를 장식한다

접시에 담긴 스파게티 한 입
버섯의 풍미가 입안을 가득 채우며
맛있는 시간이 시작된다

둘러앉은 사람들의 웃음소리가
집안 가득하다
파스타식당 개업해도 되겠어.

어린이들의 꿈

손안에 담긴 세상
하늘 높이 날아오르는 작은 새들

꿈을 꾸는 눈동자들
달빛이 빛나는
희망의 배를 띄우는 손길

숲 속 깊은 곳
바다속 깊은 곳
인어들이 노래하는 곳
아이들의 마음속엔 언제나
마법의 세계가 숨 쉬고 있다

해와 달이 만나 인사하는 순간
꿈은 더욱 빛나고
무지개다리를 건너

천국의 문이 열리는 순간

나무 위에서
고래 등에 올라타는 환상의 여정
아무것도 두렵지 않은 그들
마음속의 용기를 품은 작은 영웅들

아이들의 웃음소리, 맑은 물소리 같아
꿈은 어느새
현실에 스며들고
세상을 바꾸는 작은 빛이 된다

꽃이 피고 지는 계절마다
꿈은 피어난다
상상은 한계가 없고
사랑도
작은 별이 되겠다는 아이
커다란 우주선을 타고 날겠다는 아이
눈 속에 담긴 희망은
세상을 밝히는 빛이 된다.

강아지 출산

손톱만한 발바닥
깜빡이는 눈 속에 우주가 담겨 있다
새벽의 첫 울음소리
천천히 세상을 배워가는 걸음마

발자국이 집안을 물들이며
존재가 환희처럼 스며든다
푸른 잔디밭을 달리는 그림자
햇살에 반짝이는 털 끝
순수한 기쁨이 넘쳐흐르는 순간들

밤이면 조용히 감싸 안고
따뜻한 꿈의 바다로 떠난다
어미의 품속에서 잠든 몸
무표정한 미소가 번지고
시간은 흐르고, 변치 않는 사랑만 남아

강아지와 함께하는
첫 만남의 떨림, 첫 놀이의 즐거움
모든 순간이 우리의 추억이 된다
추운 겨울을 이겨낸
작은 생명은
끝없는 사랑을 선물한다
함께하는 모든 순간이.

강아지

새벽은 알람이 아닌
검은 구슬 같은 눈망울
그 속엔 말없이 흐르는
깊고 따뜻한 이야기

도시의 회색빛 속에서도
작은 몸짓 하나로
마음이 밝아진다

바쁜 일상 속
함께 걷는 거리
함께 마시는 바람
그 모든 것이 새로운
의미로 다가온다
비 오는 날 창밖 풍경도
작은 코로 느끼는 세상의 향기

그 안에서 너는
숨을 쉰다

지친 하루의 끝
문을 열면 반겨주는 몸짓
관심의 눈빛

나의 그림자
존재가 내 삶을
물들였다
강아지를 키운다는 것
단순한 책임이 아닌
매일을 함께 살아가는 가족
내 하루를 완성시켜 준다.

95세 할머니의 지혜

세월이
사진첩처럼
희미해져 가는 지금
마음은 여전히 푸르러
95년의 소중한 삶의 지혜들

어린 시절
두려움 없이 뛰놀던 날들
시간은 강물처럼 흘러가
모든 것을 변화시켰지만
내 마음 깊은 곳의 순수한 열정

청춘으로 세상을 맞서며
눈물과 웃음 속에 피어난 인연들
삶은 영원하지 않다는 걸 알게 되며
순간의 소중함

사랑이란 바람과 같아서
잡으려 하면 사라지고
마음으로 느껴야만
그 진가를 알 수 있는 것
사랑하는 이들을 품에 안고
따뜻함을 느끼는 것
진정한 행복은 그 안에

삶이 무거운 짐처럼 느껴질 때
어둠 속에서 길을 잃었을 때도
희망의 빛을 찾아
나를 강하게 만들고
깊은 지혜를

시간은 멈추지 않고
지금 이 순간
내 앞에 하루가
감사의 시간으로 가득하다
과거의 후회는 흘려보내고
미래의 두려움은 내려놓고
오늘을 온전히 살아간다

95세의 긴 여정
인생은 순간의 모음
사랑으로 채우고
진심으로 사는 것

살아온 세월이 준 지혜
잊지 말아야 할 것은
사랑과 용서
나눔의 기쁨.

나이를 먹는다는 것은

새벽의 종소리
안개처럼 사라지는 하루
강물이 어느새
발끝을 감싸 흐르면

세월은 모래알 같아
기억 속에 남아
추억의 강을 이룬다

순간들의 조각
기쁨과 슬픔
하나의 그림을 그린다
첫사랑의 떨림
이별의 눈물
성공의 환희
실패의 쓴맛

모두가 이야기가 된다

나이를 먹는다는 것은
삶의 깊이를 더해가는 일
어제보다 더 지혜로워지고
내일을 향해 희망을 품는 것
과거의 실수와 후회를
밑거름 삼아 성장하며
미래의 불확실성 속에서도
희망을 잃지 않는 것이다

나이를 먹는다는 것은
인생의 목적을 찾아가는 길
물질이 아닌 마음의 부유함
성공이 아닌 사랑의 가치를 깨닫고
더 나은 사람이 되는 것이다
가족과 친구, 사랑하는 사람들과
함께 나누는 시간의
소중함을 알게 된다

시간의 흐름 속에서

우리는 자라고, 변하고
시작하는 법을 배운다
꽃이 피고 지는 자연의 섭리
언젠가 흙으로 돌아가지만
새로운 생명이 싹튼다

나이를 먹는다는 것은
삶의 의미를 찾아가는 것
작은 일상 속에서도
감사의 마음을 잃지 않고
순간에도
행복을 발견하는 능력
하루하루를 소중히 여기며
자신과 타인을
사랑하는 법을 배우는 것이다
시간의 흐름 속에서
서로의 빛을 비추며
하늘을 쳐다본다

나이를 먹는다는 것은
그 빛이 더욱 찬란해지는 것

삶의 목적과 의미를 찾아가는
품격 있는
긴 여행.

아침을 여는 기도

새벽이 마중을 나오고
어둠이 사라질 때
창문을 어루만지며
나를 깨우는 시간
조용히 두 손을 모읍니다
기도로
하루를 시작하는 날

밤하늘 별들 속에서
잠든 꿈들이
빛으로 물 들기를

새소리에 담긴 희망이
내 하루의 첫 노래가 되기를
마음속 깊은 곳에
감사의 샘물이 솟아

작은 것에도 웃음 지으며
모든 순간에 감사할 수 있기를

오늘 만날 사람들에게
따뜻한 말과 친절한 눈빛을 전하고
그들이 내 마음을 느낄 수 있게
사랑을 전하는 하루가 되기를

어려움이 찾아와도
그 속에서 배움을 찾고
실패 속에서도 희망을 잃지 않으며
끊임없이 성장할 수 있기를

햇살에 눈부신 아침이
새로운 시작을 알리듯
내 마음도 그 빛을 닮아
밝고 따스하게 하루를 맞이하길

길 위에 떨어진 작은 꽃잎도
소중히 여길 줄 알고
바람에 실려 온 향기도

마음속에 담을 수 있기를

오늘의 작은 기쁨들이
모여 큰 행복이 되기를
나비처럼 날아

아침을 여는 이 기도가
세상의 모든 이들에게
하루도 빛나게 되기를.

버베나 꽃 정원에서

세상의 시간이 멈춘 곳
흩날리는 꽃잎 속
보랏빛 꿈들이 피어난다

바람은 불어와
햇살은 따스하게 내려앉는다
버베나의 향기가 공기를 가득 채우고
마음은 그 향기에 잠긴다

정원의 길을따라 걷다보면
시간의 흐름은 희미해진다
각양각색의 색채가 어우러지면
우주가 펼쳐진다

버베나 꽃 한 송이

작고 연약한 그 존재가
우리를 깊은 사색으로 이끈다
존재의 의미를 묻는 그 순간
모든 것은 선명해진다

정원 속에서 우리는
꿈의 경계를 넘나드는
삶의 조각들

버베나 꽃 정원에서
우리는 모두 시인이 된다
자연의 언어로 쓰인 시
그 속에서 영혼은 깨어난다

보랏빛 물결 속에 몸을 맡기고
눈을 감으면 들려오는 소리
바람의 노래, 꽃잎의 속삭임

버베나 꽃 정원에서
우리는 하나가 된다.
자연과 인간, 삶과 꿈이

하나의 큰 그림으로 어우러진다

이 정원에서 벗어나면
세상은 다시 돌아오겠지만
버베나의 향기는 남아
마음속에 계속 피어날 것이다.

제 5 부　바람의 언덕

말벌

공중의 캔버스 위에서
선은 규칙이 없다
공포와 경이로움의 경계를 허물며

검은 줄무늬, 황금빛 몸통
그 안에 담긴 상징과 암호
침의 날카로움은 경고인가

날갯짓은
침묵 사이를 넘나들며
상상 속에서 메아리친다
경계를 넘어서는, 그 울림
어느 순간 그 춤의 관객이 된다.

새들의 아침

숲은
꿈처럼 깨어난다
안개가 산을 감싸고

여린 나뭇잎 사이로
빛의 조각들이 가지 끝에서 걸려있다
숲은 깊은숨을 내쉬며 깨어난다
새들의 노래는

바람에 흔들리는 풀잎 소리로
음악회를 연다
바람결에 작은 종소리 맑게 흔들린다
숲의 생명들
아침의 교향곡을 연주한다.

행복한 날

기적이 찾아는 날
커피 한 잔의 온기

도시의 소음 속
친구의 웃음, 가족의 식탁

그 작은 순간들 속에
진정한 행복이 깃들어 있다

화려한 성공, 물질의 풍요
그 너머에 있는 것
어린아이의 미소, 사랑의 손길

삶의 속도를 늦추고
잠시 멈추면 피어나는

행복의 씨앗

무엇이 우리를 웃게 하는가?
따뜻하게 하는가

완벽하지 않아도 괜찮다
결점 속에서 빛나는 아름다움

행복은 멀리 있지 않다
지금, 이 순간

작은 기쁨 속에 숨어 있다
매일의 순간들 속에.

목욕 차

목욕차가 도착한다
세월의 주름을 품은 손들이
따뜻한 물결 속으로

주름진 손, 세월의 흔적
물속에서 피어난다
무겁지만 따뜻한 온기
인생의 무게

흘러간 시간들이 씻겨 내려간다
대강에서 17년의 누워서 지낸
차가운 바람 속에서도 피어나는 미소
순간의 깨달음

작은 공간, 목욕 차에서
스며드는 인생의 추억들

눈물과 웃음을 나누며
휠체어에 삶을 맡긴다

흘러가는 물처럼
잠시 머물렀다 사라지는 순간들
서로에게 힘이 되는
사랑과 존경, 인생의 진리

물속에서
인생은 다시 태어난다
삶이 꽃으로 피어나는 곳.

눈 내린 아침

밤새 내린 눈
세상이 순백의 도화지로 변했다
눈부신 하얀 풍경

이웃집 어르신
작고 구부정한 등 뒤로
눈을 치우는 모습
흰 눈 위에 남은
고된 발자국, 무거운 흔적들

한 걸음
땀 방울이 차가운 공기에 스며든다
바람결에 흩날리는 눈송이
이마 위에 살포시 내려앉는다
손길 따라
길이 열리고

눈 속에서 피어나는
온기가 있다
이웃을 위해 내어 준 시간

눈 덮인 아침
마음이 깨끗해진다
피어나는 미소
말없이도 전해지는
그 따뜻한 마음
눈 속에서 피어나는 만남

눈 내린 아침
열린 길 위에
마음도 함께 열린다.

동심

꽃들이 미소를 따라 피어난다
놀이터 모래밭에서

풍선같이 불어나는 꿈과 희망
어린이들의 마음속에 살아있다

교실의 창밖으로
구름이 흐르는 하늘을 바라보며
세상의 비밀을 궁금해하며 생각한다

순결한 마음으로
바다를 보는 것처럼
웃음소리는
바람을 타고
얼음 같은 눈과
별들을 따라 동행한다.

부활절 아침에

새벽 물결이 닿는 곳
아침의 빛이 흐른다
십자가 그림자 속에서
죽음과 부활을 기다리는 시간

십자가 서 있는 곳
그리스도의 고통과 사랑
사명에 매달려
고난의 길을 걸어가신
부활의 새로운 삶을 선물로 남겼다

은혜로 가득한 아침
새로운 시작을 알린다
어둠 속에 빛이 비치듯
믿음을 다시 세운다

죽음은 끝이 나고
그의 사랑은 끝없이 흐르며
새로운 생명으로 이끈다

부활절의 기도 속에서
고통이 죄에서 구속한 것처럼
영생을 준다

영광과 능력을 기억하며
부활은 믿음의 중심이 되어
삶을 성화시키는 구원의 능력.

보발재

가을이 깊어가는 오후
보발재의 단풍 길에 눕는다

가을의 마법
시간의 흔적을 담아

작은 절이 자리한 보발재
길가에 자리한 화사한 동산
자유롭게 피어나는
단풍의 색감

단풍잎의 색은 시간을 잊게 한다
걸음을 멈추고, 숨을 참는다
저녁이 깊어가는 시간
노을과 함께
하늘은 보라빛으로 물든다

보발재의 단풍길
마음깊이 불이 타 오른다
꺽인 세상을
더 사랑하며 살겠다고
다짐한다.

김삿갓

구름길을 걷는다
하늘과 땅 사이를 방랑하는 나그네
김삿갓

산과 바다를 거니며
어둠이 내린 밤
바람처럼 자유로운 영혼

계절의 노래에 맞춰
꽃 피는 곳을 찾아간다
달빛 아래서도
시인의 말은 세상을 감싼다

시인의 꿈을 담고
시선은 삶의 깊이를 탐구하고
한 줌의 흙 속에서

풍요롭게 자라나는 삶의 노래
걸어가는 길 위에서
세상의 모든 삶을 노래한다

노래는 바람처럼 자유롭고
자연과 함께하는
희망의 노래

바람 구름길을 걷는
방랑자 김삿갓
그의 노래는 시간을
멈추게 한다.

코스모스

가을이 깊어가는 날
그녀는 정원으로 향한다
한가운데 자리한 코스모스
꿈이 피어난다

우아한 춤
바람에 머리카락이
흩날리는 풍경 속에서
시간을 초월한 사랑

삶은 코스모스처럼 밝고
사랑은 꽃들처럼 아름답다
봄에만 피는 꽃이, 꽃이 아니다
늦어도 피는 꽃이라 더욱 좋다.

기다림

시간의 바다에서
나는 너를 기다린다

어둠이 밀려오고
하늘을 향해 손을 뻗고
나는 기다린다

서로의 길이 만날 때까지
마음은 바다 같이 넓고 깊다
파도처럼
나는 너를 기다린다

시간은 흘러가고
계절은 변해가지만
사랑은 변함없이 너를 향해 서 있다
순간을 기다리며

삶의 무게를 짊어지고

그림자가 날 향해
다가올 때까지
너를 기다린다

기다림이 나를
더욱 강하게 하기 때문에.

바람의 언덕

멀리 떠나온 곳에서
바람의 속삭임이 들려온다

바람은
흘러가는 하늘을 날고
마음을 타고 흘러온다

숲 속에서는
가을의 매력을 노래한다
가끔은 거센 바람이 되어
야생의 자유를 부른다

바람은 순간을 살아간다
바람은 동반자다.

맛집여행

강남 맛집에서 시작된
맛집여행

첫 번째 멈춤
해변가 레스토랑에서
바다의 향기가 가득한 저녁
해변 모래 위에 묻힌 발자국처럼
기억에 남을 맛

도시의 중심
현대적이고 다채로운 맛들이 얽힌
번화가의 카페에서
한 잔의 커피 향기가
눈과 코를 맞이한다.
오늘의 마지막 맛
산골 마을 특색 있는 음식점

숨은 고수의 맛

여행은 맛의 연속
발견하는 세상의 맛집들
음식과 문화가
언어를 넘어서 소통한다

맛있는 여정의 끝엔
채워진 기억의 그릇
다시 돌아가는 길에도
여행의 맛을 품고 살아간다
오늘도 블로그에 추억이 쌓인다.

새해 아침

어젯밤의 어둠은 사라지고
새로운 새해 아침이다

아침은 더욱 빛나는 듯하다
마음속 깊은 곳에 품은 소망들이
한기가 가득한 공기에 담겨 피어난다

어제의 흔적들이 순간 지나간다
마음도 시간을 초월하여
새로운 시작을 맞이하고 있다

생명의 탄생
하늘은 꿈을 더 높이 날 수 있게
대지는 길을 여는 열쇠이다.

파도

깊은 밤
그늘이 나를 감싸 안는다
삶의 무게가 어깨를 누른다

해가 뜨는 새벽
길게 빛나는 희망의 노래
내 안의 힘
파도를 넘어서려 한다

파도가 지친 물결을 빠져나간다
깊은 끝없는 물결을 헤쳐 나간다
몸을 다시 일으킨다

불안과 두려움이 둘러싸고 있을 때도
인내와 용기로
어둠을 밝히는 등불

고난의 도시를 건너가려 한다
내 꿈을 향한 길에서
보석같이 빛나게 한다

고난을 극복하는 길
삶이
한숨 씩
겨자씨의 믿음같이
앞으로 행진한다.

걷는다

걷는다
바람이 쓸어 오는 길을 따라서
한 바퀴 돌고 돌아서

발아래 아스팔트의 따스함이
세상의 서투름이
잠시 쉬게 만든다

나는 걷는다
두 눈에 비친 세상을 보며
긴 시간이 흘러가는 동안
갔던 길을 또
나는 걷는다.

하루

하루가 부러진 시간에
녹아든다

길을 걷는 소리
하루의 악보

흘러간다
바쁘게
침묵으로
하루를 따라가며

하루의 끝자락
물감을 묻혀가며
하루를 기다린다.

신호등

신호등이 멈추라고 말한다
길이 끊어진 듯한 순간
시간은 멈추어 선다

노란 불이 깜박이면
조심스럽게 다가가라는 시그널
마음의 준비를 하며
앞길을 열어줄 때를 기다린다

푸른 불이 빛나면
나아가라는 허락을 준다
모든 것이 흐름 속에
신호등은 대장이다.

겨울이 오면

겨울바람이 불어오면
손을 꼭 잡고
길을 나선다

하늘은 깊어가고
구름은 무거운 눈을 뿌린다

새들은 이미 날개를 감싸고
집으로 돌아간지 오래다

시냇물도 얼어버린
한 겨울밤
어둠 속에서 난로 같은 사랑을 한다.